Stanisław Szponder

Kropka poznaje świat

Ilustrowała Lucyna Talejko-Kwiatkowska

Dom Wydawniczy REBIS
Poznań 2005

– Hau! Hau!

Wabię się Kropka. To prawda, jestem małym psem, ale kropka jest o wiele mniejsza ode mnie. Marek, mój pan, twierdzi, że jestem ratlerkiem. Nie znam się na rasach psów, a Marek wie, co mówi. Mam krótką błyszczącą sierść, prawie cała jestem czarna, tylko łapki są brązowe. Aha, mam jeszcze brązową łatkę nad lewym oczkiem. Moje oczka są okrągłe, nieco wyłupiaste. Może nie jestem ładna, lecz Marek bardzo mnie lubi. Zresztą, ja również go lubię i jestem do niego bardzo, ale to bardzo przywiązana.

Mieszkamy w dużym domu na obrzeżu miasta, o którym się mówi, że jest najstarsze.

Dobrze mi jest: mam swój kąt, a w nim kocyk, w który zawijam się po czubek nosa, bo często marznę, zwłaszcza zimą. Mam miseczkę, z której wyjadam różne psie smakołyki. Bardzo łatwo porozumiewam się z Markiem. Natomiast obcy nie rozumieją psiej mowy.

Kiedyś opowiedziałam wam o mojej wyprawie na Księżyc. Szkoda, że ta podróż okazała się tylko snem. A w Wigilię Bożego Narodzenia przemówiłam ludzkim głosem. Wszyscy domownicy byli ogromnie zaskoczeni.

Na pewno znacie też historię o mojej wyprawie do zoo i spotkaniu z różnymi zwierzętami, nawet z lwem królem zwierząt!

Pragnę wam opowiedzieć, jak to było, kiedy po raz pierwszy samowolnie opuściłam dom Marka. Chciałam poznać świat. Wiem, że to był nierozważny krok, że źle zrobiłam. I nie wiem, jak by się to skończyło, gdyby nie Cezar, mój opiekun i zarazem przyjaciel.

Hau! Hau!

Pewnego razu, gdy byłam jeszcze szczenięciem i znudziło mi się siedzenie w domu, a nikogo akurat nie było, wybiegłam przez nie domknięte drzwi na korytarz i nie bez trudności zeszłam po schodach.

Jak dobrze, pomyślałam, kiedy znalazłam się na podwórku. Było ciepło.

Przeciągnęłam się. Powąchałam w kilku miejscach mały trawnik, potem kwiatki na jedynej wąskiej rabacie. Zajrzałam tu i tam, w każdy kąt podwórka. Wszystko mnie bardzo ciekawiło. Kilkoro dzieci się bawiło, jakaś pani zamiatała chodnik. Wybiegłam na ulicę. Zatrzymywałam się raz po raz.

Nagle zjawił się przede mną duży kudłaty pies. Głośno warknął i wyszczerzył groźnie zęby. Przestraszył mnie... Skuliłam się, zaczęłam popiskiwać. Pies zaraz złagodniał. Obwąchał mnie i przyjaźnie pomachał pokaźnym ogonem.

– Uważaj, szczeniaku. Dokąd się wybierasz? – zapytał grubym głosem.

– Hau! Hau! – odpowiedziałam piskliwie. – Wcale nie jestem szczeniakiem. Jestem prawie dorosła – skłamałam – i znudziło mi się siedzenie w domu. Mam na imię Kropka – dodałam.

– Hau! Hau! – odezwał się. – I słusznie, bo jesteś mała, a do tego czarna. Jesteś taka mała, że ledwie cię zauważyłem. Poza tym nie kłam. Wiem, że jesteś szczenięciem... A ja mam na imię Cezar – oznajmił z dumą, tym samym grubym głosem.

– Dlaczego Cezar? – zapytałam.

Cezar zaczął dość zawile tłumaczyć, ale nagle wybiegłam na środek ulicy, bo moją uwagę zwrócił dziwny olbrzymi stwór szybko poruszający się na okrągłych łapach. Chciałam się przekonać, co to może być.

Cezar próbował mnie ostrzec i zatrzymać:

– Uważaj, wpadniesz pod samochód! Wracaj szybko – warknął głośno.

Zanim się zorientowałam, o co chodzi, usłyszałam ostry pisk okrągłych łap, a potem jakiś pan uchylił okno i pogroził mi palcem. Cezar zrobił mi awanturę, ale wiem, że miał rację. Potem doprowadził mnie do najbliższego skrzyżowania i pokazał szerokie białe pasy biegnące w poprzek ulicy.

– Tylko po takich pasach można przebiegać przez ulicę. Zapamiętaj to sobie na zawsze.

– Spróbuję przebiec tam i z powrotem – powiedziałam cicho.

– Najpierw spójrz w lewo, potem w prawo i jeszcze raz w lewo – pouczał Cezar.

– Po co aż tyle razy? – zapytałam nieco zdziwiona.

– Musisz się przekonać, czy nie nadjeżdża akurat samochód, autobus lub motocykl. Inaczej koniec z tobą.

– Co to znaczy „koniec z tobą"?

– Jak ci to wytłumaczyć? Po prostu nie będziesz żyła. Już nigdy nie będziesz mogła zobaczyć swego pana. Dlatego musisz się nauczyć prawidłowo przechodzić, a raczej przebiegać przez ulicę.

Zrobiło mi się przykro i ogarnął mnie smutek. Zaczęłam popiskiwać. Chciałam już wracać do domu. Cezar jednak nie ustępował:

– Ja będę stał przy krawężniku i obserwował, a ty prawidłowo przebiegniesz przez jezdnię, dobrze?

– Dobrze – zgodziłam się.

Zatrzymałam się na chodniku tuż przed białymi pasami. Spojrzałam w lewo, potem w prawo i znów w lewo, jak pouczał Cezar. Szybko przebiegłam na drugą stronę ulicy, bo nic nie nadjeżdżało. Znów stanęłam przy kra-

wężniku, odczekałam chwilę, bo Cezar łapą dał znać, że zbliża się samochód. Potem spojrzałam raz, drugi i trzeci i... szybko przybiegłam z powrotem.

– Hau! Hau! Zrobiłaś wszystko, jak trzeba – pochwalił Cezar i zadowolony pomachał ogonem.

– Pobiegajmy razem po okolicy – zaproponował. – Musisz wiedzieć, gdzie się znajdujesz. Kto jak kto, ale pies nie może zabłądzić. Musi znać drogę do domu, do swego pana.

– A więc poznajmy świat! – zgodziłam się chętnie.

Cezar biegł wolno, dostojnie. Szybko przebierałam łapkami, aby dotrzymać kroku mojemu opiekunowi.

– Zaśpiewajmy – zaproponował Cezar.

– Ale co? – zapytałam.

Cezar zanucił, po chwili namysłu podał słowa. Zaśpiewaliśmy:

Ja i ty, ty i ja
Kropka dziś poznaje świat.
Obok siebie biegniemy,
tu dróżka, tu trawnik,
a tu pachnący kwiat.
Ja i ty, ty i ja,
Kropka dziś poznaje świat...

Cezar śpiewał grubym głosem, a ja cienkim. Nieźle to wyszło. Podobała mi się ta piosenka.

Biegliśmy blisko siebie, co pewien czas się zatrzymując. Obejrzeliśmy i obwąchaliśmy po drodze to, co mogło nas, a zwłaszcza mnie, zainteresować. Cezar chciał, abym poznała i zapamiętała wszystko wokół. Bardzo się starałam.

– To są samochody – wyjaśnił. – Mało brakowało, a wpadłabyś pod koła. Stoją tutaj, bo nie wszyscy właściciele mają garaż – tłumaczył Cezar. Podeszliśmy do najbliższego samochodu.

Obejrzałam dokładnie koła, te ich niby-łapy, wspięłam się nawet na zderzak.

– To mały fiat – objaśnił mój opiekun.

– Ależ to duży samochód – zauważyłam.

– Jesteś mała i wydaje ci się, że jest duży. Dla mnie jest mały – odpowiedział wyniośle.

Minęliśmy stojące wzdłuż chodnika samochody. Biegliśmy obok dużego domu, gdy nagle jakiś wygrzewający się na słońcu szary kłębek rozwinął się, skoczył na łapki, wyprężył grzbiet i zjeżył sierść. Groźnie zasyczał.

Wystraszona stanęłam jak wryta. Moje serduszko zaczęło szybko bić. Cezar się zatrzymał. Był wyraźnie niezadowolony ze spotkania.

– To kot, Mruczek. Nie lubimy się. Zawsze mnie tak wita, chociaż znamy się od dawna.

– Chciałabym się z nim pobawić – odezwałam się nieco spokojniejsza. Mruczek wcale nie wydawał mi się taki groźny.

– Proszę, spróbuj... Zobaczysz, co to za gagatek.

Ochoczo podbiegłam do Mruczka, by nawiązać znajomość. Zaraz jednak tego pożałowałam, bo kot fuknął, wyprężył się, nastroszył, a potem uniósł łapkę i mocno mnie uderzył tuż nad prawym uchem.

– Ojej! Ojej! – zaskomlałam żałośnie. Czułam ból w miejscu zadrapania.

Cezar nie wytrzymał. Groźnie warknął i natarł na Mruczka. Kot uciekł i wspiął się na pobliskie drzewo.

– Ostrzegałem cię, że to gagatek. Takiemu nie należy ufać. Zapamiętaj!

– Zapamiętam – odezwałam się, kuląc się z bólu. – Mam już dość przygód. Chcę do domu, do Marka.

– Masz rację. Sądzę, że na dzisiaj wystarczy – zdecydował Cezar.

– Wracajmy!

I znów jakiś czas biegliśmy blisko siebie. W pewnej chwili mój opiekun zatrzymał się i powiedział:

– Na mnie już czas. Mój pan będzie się denerwował. Zbliża się wieczór. Muszę pilnować domu i podwórka. Kawałek drogi przede mną – dodał.

Potem dokładnie wytłumaczył, którędy mam biec, aby trafić na nasze podwórko. Uważnie słuchałam jego wskazówek, wiedząc, że Cezar doskonale zna wszystkie kąty, nie tylko w najbliższej okolicy. Jeszcze chwilę biegliśmy razem.

– Nigdzie nie zbaczaj! Pokazałem ci, jak masz iść do domu. Dziękuję za towarzystwo. Pamiętaj, zawsze możesz na mnie liczyć. Do zobaczenia! Hau! Hau! – zaszczekał głośno i zawrócił.

– Hau! Hau! – zdążyłam odpowiedzieć. – Dziękuję za wszystko!

– Nie ma za co. – Mój opiekun zatrzymał się, odwrócił i pomachał ogonem. Zrobiło mi się smutno, przypomniałam sobie jednak, że muszę wracać do domu.

Trzymałam się ściśle wskazówek Cezara. Wkrótce znalazłam się na naszym podwórku. Stąd wybiegłam, pomyślałam. Poznałam dom, w którym mieszkaliśmy. Już chciałam wbiec do środka, gdy nagle stwierdziłam z przerażeniem, że kilkoro rozbawionych dzieci zagrodziło mi drogę.

– Jaki ładny piesek! – zawołała dziewczynka w czerwonym bereciku. – Chciałabym mieć takiego.

– To go dostaniesz – odezwał się starszy chłopiec z długimi jasnymi włosami. Nagle się pochylił, by mnie złapać. W ostatniej chwili udało mi się uskoczyć. Nie wiedziałam jednak, co mam robić, jak uciec przed prześladowcą. Przydałby się teraz Cezar, przemknęło mi przez głowę. Chciałam nawet go przy-

wołać, bo dzieci nie rezygnowały. Jakiś czas goniły mnie po trawniku. Umykałam im najszybciej, jak potrafiłam. W końcu, bardzo zmęczona, z szybko bijącym serduszkiem, przykucnęłam w miejscu. Drżałam ze strachu. Cezar, pomóż mi, proszę, błagałam bezgłośnie.

– Mamy ją! – zawołał radośnie starszy chłopiec. Klęknął i wziął mnie na ręce, mimo iż szczekałam, wierzgałam łapkami, a nawet usiłowałam ugryźć go w palec.

– Puść mnie, niedobry dzieciaku! – krzyknęłam głośno. Chłopiec nie rozumiał widocznie psiej mowy, bo nie miał zamiaru tego uczynić. Co ze mną będzie? – wpadłam w popłoch, gdy nagle usłyszałam jakże znajomy głos.

– Kropka! Kropunia!

– Tu jestem! – krzyknęłam jak najgłośniej.

Byłam pewna, że Marek mnie usłyszy. I nie myliłam się. Mój mały pan zauważył mnie. Podszedł i powiedział coś do dzieci. Chłopiec chwilę się ociągał, ale widząc groźną minę Marka, przekazał mnie w jego ręce.

– Kropunia, jak mogłaś? Gdzie się podziewałaś? Tak długo cię szukałem. No powiedz, dlaczego wybiegłaś sama na podwórko? Jak to się stało?

Próbowałam tłumaczyć, że drzwi były uchylone i coś mnie skusiło, żeby wyskoczyć.

– Źle zrobiłaś. Mogło ci się przydarzyć nieszczęście.

– Miałam opiekuna – odezwałam się nieśmiało. – Poznawałam świat...

– Sądziłem, że to ja jestem twoim opiekunem – odparł wyraźnie niezadowolony.

– Cezar się mną opiekował.

– Kto to jest Cezar?

– Duży pies. Uczył mnie, jak przechodzić przez ulicę. Był bardzo sympatyczny – dodałam jeszcze.

– Kropunia, ale narozrabiałaś! Nigdy bym nie przypuszczał... Nie rób tego więcej – szeptał mi do uszka.

– Przepraszam.

Przytuliłam się do jego ciepłego policzka i kilka razy go polizałam. Rana zadana przez Mruczka już prawie mnie nie bolała. Wierzcie mi, czułam się wspaniale. Zastanawiałam się jednak, co porabia Cezar i kiedy go zobaczę.
Hau! Hau! Do następnego spotkania!